罗斯提喜欢笑哈哈

爸爸妈妈焦点指南

快乐的童年是一生幸福的起点。

快乐的宝宝具有感染力，

能让周围都变得欢快起来；

快乐的宝宝更有创造力，

充满探索世界的好奇和激情；

快乐的宝宝能够成就精彩人生。

怎么样才能让宝宝保持好心情，

时刻沐浴在欢乐之中呢？

这里，或许有你需要的答案！

快走进托马斯的世界吧，

读故事，做游戏，看指导，培养快乐、阳光的好宝宝。

让宝宝做情绪的主人

儿童心理教育专家 《父母必读》主编 徐 凡

情绪无论好坏，都伴随着人的整个生命旅程，每一种情绪都有着重要的生物学意义，对孩子的生存具有一定的贡献。在生活经验中，我们发现了一种现象：强烈的情绪，比如狂喜、暴怒、极悲，有可能使人的心智变得狭窄，因其过度调用身体资源，会对健康造成一定的伤害。还有一些情绪，比如美慕或嫉妒，有的会给人带来动力，有的会伤害人与人之间的关系。

我们的心灵犹如一个容纳各种情绪的盒子，哪一种都不应该被排斥在外。家长需要做的就是帮孩子建立起管理这个盒子的心智体系。无论是正面情绪还是负面情绪，如果我们能帮孩子很好地认识它们、接受它们、管好它们，我们将看到一个情绪丰富、情感丰满的孩子在成长。

在这套书中，有一系列帮我们认识和调控消极的负面情绪，以及强化和放大积极的正面情绪的好方法，相信在亲子共读的过程中，父母和孩子都会有收获。

儿童心理咨询专家 北京友谊医院副主任医师 柏晓利

多年前，当我们还是孩子时，我们的情绪往往不被父母重视，有时我们会觉得委屈和压抑，甚至埋怨父母不懂自己。那时，我们更不懂得如何表达情绪，我们的童年经常受到坏情绪的困扰。现在，我们做了父母，开始知道，对孩子的情绪不能简单地用语言禁止、否定或者漠视，情绪需要用智慧来管理。这套情绪管理丛书，就是这样一套能帮助父母应对3岁~6岁宝宝情绪，弥补我们童年的缺失的丛书，是为宝宝成长助跑和为父母补课的好书。

这套丛书将情绪管理这一理论深入浅出，用3岁~6岁宝宝能理解的生动故事和充满童趣的语言，把人的最基本的情绪逐层解析，帮助父母和宝宝轻松地学会情绪管理，开启通往快乐、幸福人生的大门。

当您在给宝宝读这本书时，请您设想自己还是孩子时的感受，用孩子的视角来理解、接纳和管理宝宝的情绪。阅读这样一套丛书，您的宝宝会受益终生，而您自己将会是最大的受益者。

幼儿情绪管理互动读本

罗斯提喜欢笑哈哈

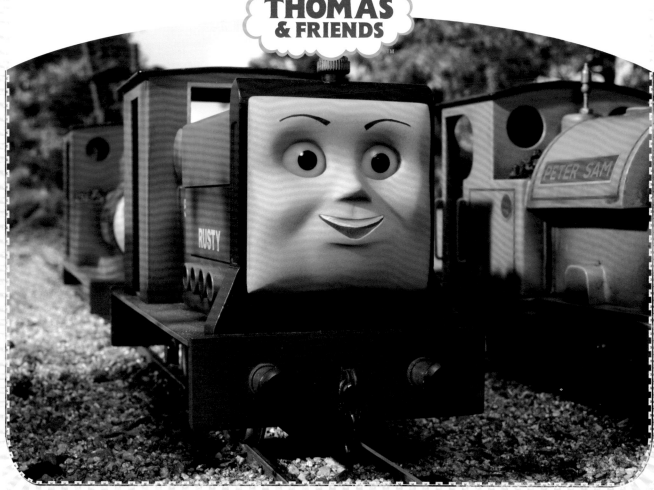

童趣出版有限公司编译　人民邮电出版社出版
北　京

罗斯提喜欢笑哈哈

　　窄轨小火车罗斯提整天在山里跑来跑去，他最开心的事就是到湖边吹汽笛。他的汽笛声很特别，有一高一低两个音调。

　　一天早上，瘦总管说："胖总管要来参观，我邀请了铜管乐队来为欢迎仪式奏乐。""铜管乐队？！"罗斯提高兴地大叫起来，"我最喜欢铜管乐队了！"

罗斯提喜欢笑哈哈

"在仪式开始之前，你要带乐队到山里去游览一番。"瘦总管告诉罗斯提。"真的吗？太棒了！"罗斯提兴奋地出发了。

　　罗斯提在转接站接到乐队，他骄傲地说："我会让这次旅程变得快乐又难忘，让你们奏出更美妙的音乐！"说着，罗斯提一高一低地吹响了汽笛："嘟嘟——滴滴——"

路过的托马斯听到嘟滴声，好奇地问："谁的声音这么好听啊？"彼得山姆说："是罗斯提，他的汽笛声很特别，但是我觉得不太好听。"

　　罗斯提很高兴托马斯喜欢他的汽笛声，等铜管乐队登上车厢，他就快乐地朝山里开去。

　　一路上，罗斯提不停地吹汽笛，"嘟嘟——滴滴——"快乐的声音让乐队也忍不住演奏起来。

美妙的音乐充满了罗斯提的烟囱，他觉得自己好快乐，连车轮都轻了！罗斯提好想让这快乐的旅程永远不结束。

罗斯提喜欢笑哈哈

　　最后，罗斯提把乐队带到湖边，然后吹响汽笛和乐队一起奏起协奏曲。他从来没见过夕阳下的旧城堡如此美丽。

就在这时，麻烦找上门了，罗斯提忽然走不动了！原来，他的柴油用光了。怎么办？乐队不能回去参加欢迎仪式了。

罗斯提喜欢笑哈哈

这时，托马斯已经带着胖总管开到了转接站。瘦总管看起来很着急，因为罗斯提还没有把乐队送回来。

　　在湖边，乐队指挥也担心地问罗斯提："怎么才能让别人知道我们在这里呢？"罗斯提想啊想，忽然一个好主意飞进了他的烟囱。

罗斯提喜欢笑哈哈

"我们一起来演奏吧！大家听到音乐声，就知道我们在这里了。"说完，罗斯提吹响了汽笛，乐队指挥也指挥乐队开始演奏。

　　乐队演奏美妙的音乐，罗斯提也使劲地吹汽笛，而且越吹越大声。音乐声在山谷里回荡着，向远处飘去。

托马斯听到了声音，他大声喊道："你们听，是罗斯提！"彼得山姆也听见了，"还有铜管乐队！"

　　大家都听见了罗斯提那一高一低的汽笛声。邓肯说："他们肯定遇到麻烦了，咱们跟着罗斯提的汽笛声就一定能找到他们。"

罗斯提喜欢笑哈哈

胖总管说："如果乐队和罗斯提在一起，我们就在那里举行仪式吧！"大家都觉得这个主意棒极了。

罗斯提和乐队一直大声地演奏，直到他们看见有火车亮着灯朝他们开了过来——是小火车们，还有胖总管和瘦总管！

彼得山姆说：“我们听到了你的汽笛声，所以我们知道去哪里找你们。现在，我觉得你的汽笛声很好听。”罗斯提开心地笑了。

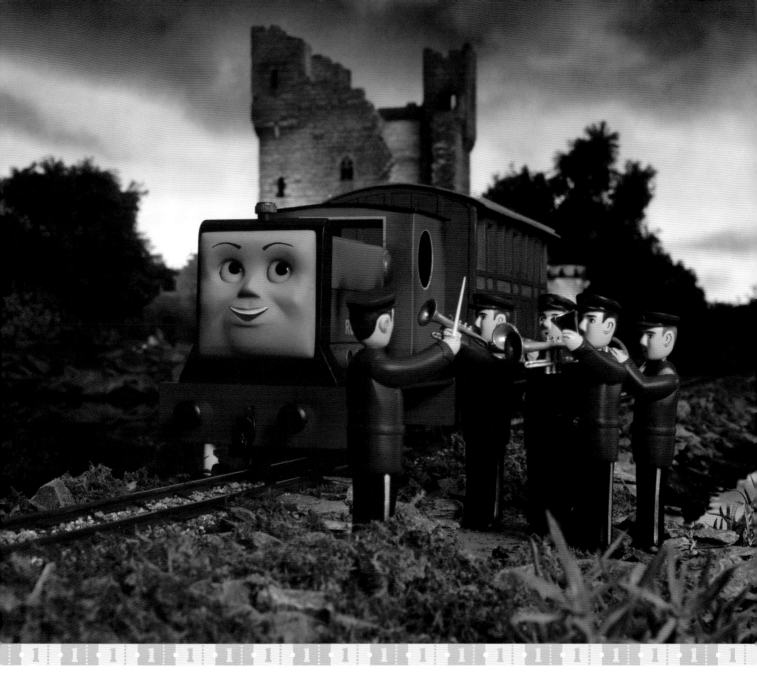

乐队开始奏乐，所有的小火车都吹响了汽笛，罗斯提吹得最大声。罗斯提救了乐队和自己，他的心里很快乐，他要让所有人都听见快乐的声音。

情绪体验课

罗斯提带着喜欢的乐队到他最喜欢的地方去，别提多快乐！当他遇到麻烦时，他是怎么做的呢？快来说一说，回答一个问题就贴一枚小火车勋章，加油把勋章都贴满吧！

小火车勋章

小火车勋章

小火车勋章

小火车勋章

1

罗斯提今天好快乐，
这是为什么呢？

2

罗斯提带着乐队去了哪里？

3

罗斯提是怎么解决麻烦的？

4

欢迎仪式上，罗斯提的汽笛吹得最
大声，这是为什么呢？

妈妈 小贴士 小火车勋章在第29页，请撕下来作为宝宝回答问题的奖励，以此来鼓励宝宝回味故事，思考问题，让宝宝认识快乐、体验快乐，知道快乐源于何处。

 做喜欢的工作，听喜欢的音乐，罗斯提感觉很快乐。小朋友，你会为什么而快乐呢？下面哪些事情能让你快乐？给旁边的小火车画上笑脸吧！

妈妈给我买了漂亮的新裙子，我好开心！

和朋友们一起玩老鹰抓小鸡，真有趣，我好开心！

我自己拼出了一辆很酷的小汽车，我真高兴！

老师夸奖我，还给我三朵小红花，我好开心！

我帮丁丁找到了他的小火车，我好高兴能帮上忙。

妈妈来接我回家了，抱抱妈妈，我好开心！

妈妈给我讲了一本我喜欢的图画书，我好开心！

爷爷、奶奶来做客，他们来看我，我好开心！

在公园里可以荡秋千、看虫虫，我太开心了！

情绪放大镜

快乐的时候，罗斯提会觉得自己的车轮都轻了！小朋友，你高兴的时候会怎么样呢？有过下面这些感觉吗？撕下第29页的放大镜，贴到旁边吧！

笑容会爬到我的脸上，我只想对大家微笑。

我只想笑，有时还会笑得肚子痛。

我喜欢又跑又跳，或者拍拍手、唱唱歌、扭扭腰。

我会把高兴的事情说给大家听。

我会忘掉别的小烦恼，只为高兴的事情而欢笑。

我会大口大口地吃饭，什么都变得很好吃。

我会把糖果和玩具分给小朋友，让大家一起开心。

我会帮妈妈做些事，给花浇水，让它和我一样快快长大。

妈妈小贴士

以上列举了8种宝宝快乐时的典型反应和行为。你的宝宝有过哪些表现？帮助宝宝完成游戏，发现答案！总的来说，快乐的宝宝会自信、主动、乐于分享而且富有感染力。

这一天，乐队和小火车们都很快乐，我给小火车们拍了照，可是不小心把照片撕坏了，你能发现这些笑脸都是谁的吗？转动转盘，把笑脸和火车连上！

剪掉此处

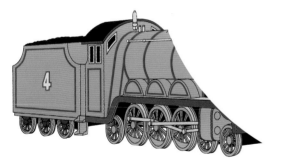 

妈妈 小贴士 剪掉圆圈中心部位，撕下第29页的圆盘1放到对应位置，再将圆盘2放到第28页的相应位置，然后在镂空部位对粘，做成大转盘。和宝宝转动转盘，找到答案，发现快乐！

 做自己喜欢的事很快乐，帮助别人更快乐！小朋友，下面这些小火车想要一件跟自己一样颜色的东西作礼物，他们分别应该收到什么呢？转动小转盘，把礼物送到他们面前吧！

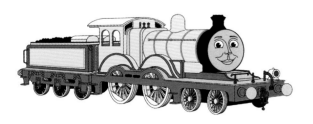

剪掉此处

妈妈 小贴士 和宝宝一起转动转盘，把礼物送给相应的小火车。告诉宝宝，快乐不仅来自获得，也来自付出和分享。

第27页　圆盘1

第26页　放大镜

第28页　圆盘2

第24页　小火车勋章

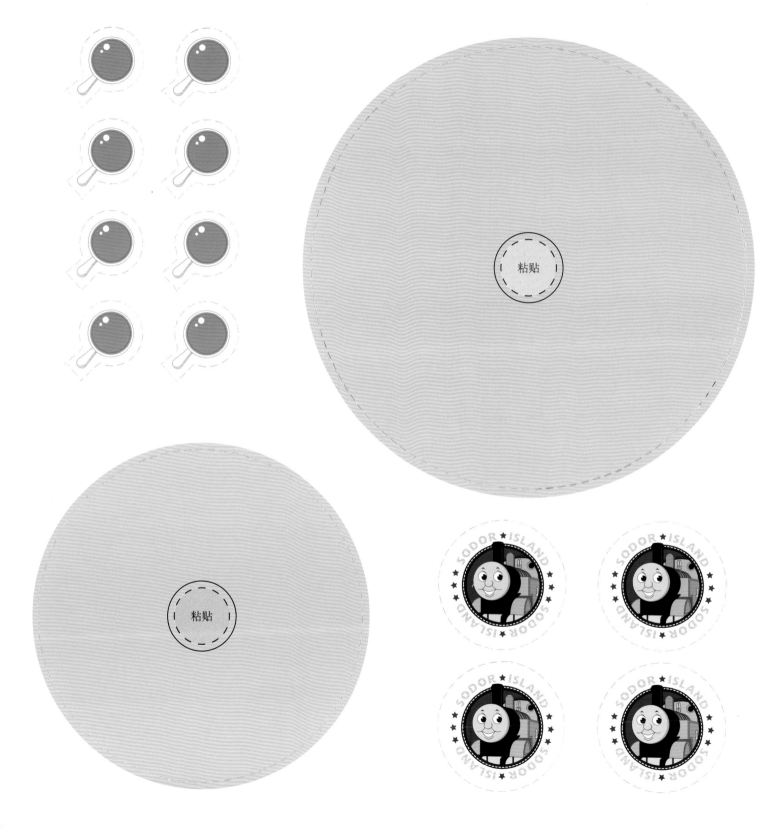

粘贴

粘贴

快乐是宝宝成长过程中不可或缺的元素之一，只有快乐的童年，才能成就幸福的人生。那么宝宝的快乐都从哪里来呢？下面为您解惑。

　　宝宝的身体就是制造快乐的神奇机器。只有健康的身心，才能创造愉悦的生活。美味的食物、温暖的衣服、自由的活动、规律的作息都能给宝宝带来快乐的感受。

　　爱的体验和满足同样是快乐的源泉。宝宝感受到的关注和爱越多，越容易产生快乐的情绪。温馨的家庭氛围能够让宝宝轻松和愉快；父母的关注和拥抱，能够带给宝宝最直接的快乐体验；周围人的关注和认可，让宝宝获得自信的愉悦；同伴的承认和接纳，让宝宝获得归属的快乐。

　　整个世界也会在不经意间带给宝宝无尽的快乐，这种快乐来自于宝宝的探索和发现。自由吞吐的气息，尽情奔跑的力量，四肢与手指的灵活，耳朵听见的声音，眼睛看到的景色，植物的生长，动物的活动，天气的变化等等，都能够让宝宝感觉新奇和惊喜，这种对自我和自然的发现能够让宝宝产生极大的愉悦感。

　　随着宝宝年龄的增长，快乐越来越多地来自于宝宝对成功的体验。拼出拼图或者搭出积木，自己用勺子吃饭和穿衣服，从一数到十或者算出简单的算术，自己能看懂图画书或者背诵一首儿歌等等，各种成功的体验都能让宝宝的成就感得到极大满足，这种满足能够带给宝宝更深层次的自信与快乐。

快乐是宝宝成长过程中至关重要的一种情绪和体验，这里为您提供一些方法，让您激活宝宝快乐的细胞，培养宝宝乐观的性格。

Tip 1 让宝宝在爱中成长

爱是快乐和幸福的源泉，只有充满爱的环境，才能培养出乐观的宝宝。让孩子感受关爱最好的办法莫过于一个大大的拥抱。家长要经常拥抱孩子，也让孩子来拥抱你们。在这样的过程中，他们对安全和爱的需求会逐渐得到满足，在感受快乐情绪的同时也学到了如何给别人关爱和快乐。

Tip 2 尊重宝宝的天性

宝宝的快乐很大一部分来自于探索世界而获得的乐趣，比如通过把东西从盒子里掏出来而感受里和外的概念，通过撕报纸来获得整体和部分的概念，通过扔东西来感知手臂的力量等等。父母要尊重宝宝的天性，给宝宝留有一定的探索空间，而不是横加制止，让宝宝体验探索的乐趣，从而获得成就感，加深快乐的体验。

Tip 3 让宝宝多接触大自然

父母要经常带宝宝走进自然，亲近自然。大自然向宝宝展示四季的美景，教给宝宝事物的规律，它可以启发宝宝的悟性，也能让宝宝得到彻底放松，大自然是宝宝快乐的宝库。在草地上尽情地奔跑，在花丛中寻找昆虫的踪迹，欣赏花开的妖娆，感受骄阳的温暖……这都能触动宝宝最原始的快乐基因。

Tip 4 多给宝宝赞扬和鼓励

当宝宝成功完成一件事时，父母要及时给予赞扬和鼓励，让宝宝体会到获得认可的快乐，让宝宝的成就感得到满足，从而养成宝宝自信和乐观的性格。尤其在宝宝失败或者犯错时，更要给宝宝分析原因并给予鼓励，帮助宝宝摆脱不安和焦虑，让宝宝获得安全感和归属感，把宝宝引向快乐的轨道。